À
Rose Alice
toute mon amitié
de réserve :
confiance, simplicité

Bonne Fête!
Bonne Retraite!

Huguette
xx

D0310474

Dans la même collection:

Fous d'amour

Le vrai bonheur

L'amour des mères

Quelques autres beaux-petits-livres Exley:

Célébration de l'amitié

Un petit livre pour les amis

De l'amitié

La gentillesse

Les amis, c'est pour la vie

Pour un(e) ami(e) extraordinaire

Les mots de réconfort

Vœux de bonheur à quelqu'un d'extraordinaire

Merci pour toutes ces petites attentions

© **Editions Exley sa, 2004**

13, rue de Genval • B 1301 Bierges • Tél. + 32 2 654 05 02 • Exley@interweb.be

© Helen Exley 1992, 2004 - © adaptation Bernadette Thomas 1994, 2004

Cette édition, entièrement remaniée, est la septième d'un ouvrage paru précédemment

sous le titre **L'amitié - citations**

La force de
l'Amitié

UN LIVRE-CADEAU HELEN EXLEY

LE SILENCE FAIT LES VRAIES CONVERSATIONS
ENTRE LES AMIS. CE N'EST PAS CE QUI Y EST DIT QUI
COMPTE MAIS CE QUI N'A PAS BESOIN D'ÊTRE DIT.

Margaret Lee Runbeck

QU'EST-CE QUI EST IMPORTANT CHEZ MES AMIS ?
PAS LES CHOSES INTELLIGENTES QU'ILS DISENT: JE LES
AI OUBLIÉES UNE DEMI-HEURE APRÈS QU'ILS LES AIENT
PRONONCÉES. C'EST TOUJOURS CE QUI N'EST PAS DIT,
L'INCONSCIENT, QUI EST LA RÉALITÉ POUR MOI.

Marie Rutherford (1831 - 1913)

pas besoin de le dire

UN AMI ENTEND LE CHANT QU'IL Y A DANS
LE FOND DE MON CŒUR ET ME LE CHANTE
QUAND MA MÉMOIRE DÉFAILLE.

Extrait du manuel des chefs-pionniers

L'AMITIÉ VIT DE SILENCE, L'AMOUR EN MEURT.

J. Deval

LE PLUS BEAU PRÉSENT QUI AIT ÉTÉ FAIT
AUX HOMMES APRÈS LA SAGESSE, C'EST L'AMITIÉ.

L'encyclopédie (XVIIIe *siècle*)

UNE JOIE PARTAGÉE EST UNE JOIE DOUBLE.

Goethe (1749 - 1832)

LE BONHEUR SEMBLE FAIT POUR ÊTRE PARTAGÉ.

Jean Racine (1639 - 1699)

RIEN NE VAUT D'ÊTRE GAGNÉ,
SI CE N'EST LE RIRE ET L'AMOUR D'UN AMI.

Hilaire Belloc (1870 - 1953)

LA TRISTESSE PEUT ÊTRE VÉCUE SEULE,
MAIS POUR GOÛTER ENTIÈREMENT À LA JOIE,
IL FAUT QUELQU'UN AVEC QUI LA PARTAGER.

Mark Twain (1835 - 1910)

serment d'amitié

Si tu te promenais en carrosse,

Et que je portais un chapeau de paysan,

Et que nous nous rencontrions sur une route,

Tu descendrais et tu me saluerais.

Si tu portais une ombrelle de colporteur,

Et que je montais à cheval,

Et que nous nous rencontrions sur une route,

Je descendrais pour toi.

Je veux être ton ami,

Pour toujours, sans rupture ni déclin,

Que les collines s'aplanissent,

Ou que les rivières s'assèchent.

Qu'il y ait des éclats et qu'il tonne en hiver,

Qu'il pleuve et qu'il neige en été

Que le ciel et la terre se mélangent,

Même alors je ne me séparerais pas de toi.

Poème chinois, (Ier siècle)

retenir
ses vrais
amis...

Que sont mes amis devenus

Que j'avais de si près tenus

Et tant aimés !

Rutebeuf (XIIIe *siècle*)

Traite tes amis comme si tu les photographiais,

place-les dans la meilleure lumière qui soit.

Jennie Churchill (1854 - 1921)

RETIENS UN VRAI AMI À DEUX MAINS.

Proverbe nigérien

SI TU CONTINUES D'AIMER CELUI QUI T'A DÉÇU
OU FAIT DU MAL, ALORS TU L'AIMES VÉRITABLEMENT,
CAR C'EST LUI-MÊME QUE TU AIMES ET NON L'IMAGE QUE
TU T'ÉTAIS FAITE DE LUI ET LE GAIN QUE TU ESPÉRAIS DE LUI.

Michel Quoist

- QU'EST CE QUE TU FAIS? demandait ma mère.

- J'écris à Christine.

- Encore!

Il y avait dans son exclamation un fond
d'exaspération.

Aurait-elle lu ma lettre à Christine qu'elle aurait dit:

- Des bêtises!...

Oui, des riens, mais ces choses de rien pour elle,
avaient un sens pour Christine, elles étaient
ma présence, ma trace en ce monde.
Comment nous serions-nous retrouvées à la rentrée
si nous ne nous étions si souvent et si longuement
écrit. Notre amitié n'aurait pas été "au point"
comme on dit dans le langage photographique.

Renée Massip

prends un
nouvel ami,
mais garde
l'ancien

Enfanter à l'amour, à l'amitié, c'est prendre le temps d'aimer d'abord. C'est vivre un silence intérieur très fort et très profond où l'autre se réfugiera tout de suite. Les vagues déferlantes, les tempêtes qui agitent les êtres que je rencontre ont besoin de lacs immensément calmes où se reposer, ne serait-ce que quelques instants.

Quand on croit que toute rencontre est une source d'amour, alors on ne peut chaque matin que ressentir une grande joie. C'est aussi la tranquille assurance du soir quand on sait que malgré lassitude, manques, échecs, on a laissé toutes ses forces dans ces moments qui ne reviendront plus et qui sont l'enfantement à l'amour.

Je n'ai jamais fait de grand pas. Que des petits. Il n'y a pas de plus grande paix avant de s'endormir que d'être sûr que ce sont les petits pas de l'amour qui font avancer le monde.

Guy Gilbert

ET UN ADOLESCENT DIT:

"PARLEZ-NOUS DE L'AMITIÉ."

ET IL RÉPONDIT, DISANT:

"VOTRE AMI EST LA RÉPONSE À VOS BESOINS.

IL EST VOTRE CHAMP QUE VOUS ENSEMENCEZ AVEC

AMOUR ET MOISSONNEZ AVEC RECONNAISSANCE.

IL EST VOTRE TABLE ET VOTRE FOYER.

CAR VOUS VENEZ À LUI AVEC VOTRE FAIM

ET VOUS LE RECHERCHEZ POUR LA PAIX."

Kahlil Gibran (1883 - 1931)

ET LES HOMMES VIVENT, NON PAS PARCE QU'ILS
PRENNENT GRAND SOIN D'EUX-MÊMES, MAIS GRÂCE
À L'AMOUR QUE LEUR PORTENT D'AUTRES PERSONNES.

Léon Tolstoï (1828 - 1910)

la perte d'un ami

C'EST ÉTONNANT COMME CELA FAIT MAL
QU'UN AMI NOUS QUITTE ET NE LAISSE QUE
LE SILENCE DERRIÈRE LUI.

Odile Dormeuil

MON CHER CAMUS [...] BEAUCOUP DE CHOSES NOUS
RAPPROCHAIENT, PEU NOUS SÉPARAIENT.
MAIS CE PEU ÉTAIT ENCORE DE TROP: L'AMITIÉ,
ELLE AUSSI, TEND À DEVENIR TOTALITAIRE;
IL FAUT L'ACCORD EN TOUT OU LA BROUILLE.

Jean-Paul Sartre (1905 - 1980)

JE PENSE QU'IL Y A EN AMITIÉ UNE RECONNAISSANCE
INSTANTANÉE DE L'AUTRE, UNE SORTE D'ATTIRANCE.
IL SUFFIT D'UN MOT, D'UN SIMPLE AFFLEUREMENT ET
DÉJÀ, NOUS QUITTER SEMBLE UNE GRANDE PERTE.
UNE PETITE DOULEUR S'EST INSCRITE EN NOUS À JAMAIS.

Helen Exley

rien de
plus précieux

LE DIFFICILE N'EST PAS D'ÊTRE AVEC SES AMIS
QUAND ILS ONT RAISON, MAIS QUAND ILS ONT TORT.

André Maurois (1885 - 1967)

IL EST PLUS HONTEUX DE SE DÉFIER DE SES AMIS
QUE D'EN ÊTRE TROMPÉ.

La Rochefoucauld (1613 - 1680)

ON N'AIME PAS LES DÉFAUTS DE SES AMIS, MAIS ON Y TIENT.

Jules Renard (1864 - 1910)

OÙ QUE L'ON SOIT, CE SONT NOS AMIS
QUI FONT NOTRE MONDE.

William James (1842 - 1910)

LA VIE N'EST RIEN SANS AMITIÉ.

Cicéron (106 - 43 *av.* J.-C.)

L'AMI QUI COMPTE C'EST CELUI QUE VOUS POUVEZ
APPELER À QUATRE HEURES DU MATIN.

Marlène Dietrich (1901 - 1992)

L'AMITIÉ EST UN SPASME TRANQUILLE.

Jean Cocteau (1889 - 1963)

CEUX QUI SE RESSEMBLENT S'ASSEMBLENT.

Homère (IXe s. av. J.-C.)

CE QUI AIDE CE N'EST PAS TELLEMENT L'AIDE DE
NOS AMIS, MAIS DE SAVOIR QU'ILS NOUS AIDERONT.

Epicure (341 - 270 av. J.-C.)

OISEAUX DE MÊME PLUMAGE
VOLENT DE COMPAGNIE

Miguel de Cervantes (1547 - 1616)

Lorsque votre ami révèle sa pensée, ne craignez pas
le "non" de votre propre esprit, ni ne refusez le "oui".
Et lorsqu'il est silencieux que votre cœur ne cesse
d'écouter son cœur;
Car en amitié, toutes pensées,
tous désirs, toutes attentes naissent sans parole
et se partagent dans une joie muette.
Lorsque vous vous séparez de votre ami, vous ne vous
affligez pas;
Car ce que vous aimez le plus en lui peut être clair en
son absence, de même que pour l'ascensionniste
la montagne est plus nette vue de la plaine.
Que le meilleur de vous-même soit pour votre ami.
Car à quoi bon votre ami si vous le cherchez
pour tuer le temps?
Cherchez-le toujours pour les heures vivantes.
Et dans la douceur de votre amitié,
qu'il y ait le rire et le partage des plaisirs.
Car c'est dans la rosée des petites choses
que le cœur trouve son matin et sa fraîcheur.

Kahlil Gibran (1883 - 1931)

c'est si simple

CHACUN SE DIT: AMI, MAIS FOU QUI S'Y REPOSE;

RIEN N'EST PLUS COMMUN QUE CE NOM,

RIEN N'EST PLUS RARE QUE LA CHOSE.

Jean de La Fontaine (1621 - 1695)

DE QUELLE AIDE PEUT ÊTRE QUELQU'UN

QU'ON NE PEUT APPROCHER

QU'AVEC DES MOTS CHOISIS?

Princesse Elisabeth Bibesco (1897 - 1945)

CE SONT MES AMIS QUI ONT FAIT LA TRAME DE MA VIE.
DE MILLE FAÇONS ILS ONT CHANGÉ MES LIMITES
EN DE MERVEILLEUX PRIVILÈGES ET M'ONT PERMIS DE ME
PROMENER SEREINE ET HEUREUSE ALORS QUE JE N'ÉTAIS
PLUS QUE L'OMBRE DE MOI-MÊME.

Helen Keller (1880 - 1968)

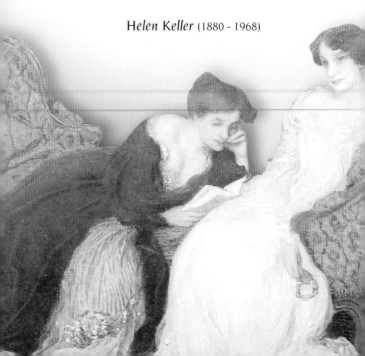

L'AMITIÉ N'EST PAS DIMINUÉE PAR LA DISTANCE OU
PAR LE TEMPS QUI PASSE, PAR L'EMPRISONNEMENT OU
LA GUERRE, PAR LA SOUFFRANCE OU LE SILENCE.
C'EST DANS CES CIRCONSTANCES AU CONTRAIRE
QU'ELLE S'ENRACINE PROFONDÉMENT.

Annelou Dupuis

ON NE CONNAÎT QUE LES CHOSES QUE L'ON APPRIVOISE,
DIT LE RENARD. LES HOMMES N'ONT PLUS LE TEMPS
DE RIEN CONNAÎTRE. ILS ACHÈTENT DES CHOSES TOUTES
FAITES CHEZ LES MARCHANDS. MAIS COMME IL N'EXISTE
POINT DE MARCHANDS D'AMIS, LES HOMMES N'ONT
PLUS D'AMIS. SI TU VEUX UN AMI, APPRIVOISE-MOI!

Antoine de St Exupéry (1900 - 1944)

POURQUOI VIVONS-NOUS SI CE N'EST
POUR NOUS RENDRE LES UNS AUX AUTRES
LA VIE MOINS DIFFICILE?

George Eliot

L'AMOUR EST COMME UNE ÉGLANTINE,
L'AMITIÉ COMME LE HOUX. LE HOUX EST SOMBRE
QUAND L'ÉGLANTINE FLAMBOIE, MAIS QUI AURA
LA FLORAISON LA PLUS TENACE ?

Emily Brontë (1818 - 1848)

J'AIME L'AMITIÉ COMME CES TRÈS BEAUX MOIS DE SEPTEMBRE
DONT LA PERFECTION ENCORE ESTIVALE EST EXEMPTE
D'ORAGES, QUAND LES FLORAISONS SONT LOURDES
ET QUE LES ARBRES DONNENT DU FRUIT "CHACUN SELON
SON ESPÈCE". L'AMITIÉ EST, DANS LES SAISONS DU SENTIMENT,
UNE SAISON RICHE ET CALME.
DANS L'AFFECTIVITÉ, CE QUE L'INDIVIDU A DE MOINS
NARCISSIQUE C'EST L'AFFECTION, MÊLÉE D'ESTIME QUI UNIT
UNE PERSONNE À UNE AUTRE.

Renée Massip

LES CONTEMPTEURS DE L'AMITIÉ PEUVENT
SANS ILLUSIONS ET NON SANS REMORDS ÊTRE
LES MEILLEURS AMIS DU MONDE.

Marcel Proust (1871 - 1922)

COMBIEN L'AMITIÉ MÉRITE DE RESPECT ET D'ÉLOGES !
C'EST ELLE QUI FAIT NAÎTRE, QUI NOURRIT ET
ENTRETIENT LES PLUS BEAUX SENTIMENTS DE
GÉNÉROSITÉ DONT LE CŒUR HUMAIN SOIT CAPABLE.

J. *Boccace* (1313 - 1375)

SI UN DE MES AMIS ORGANISAIT UNE FÊTE ...
ET NE M'INVITAIT PAS, CELA NE ME DÉRANGERAIT PAS.
MAIS SI ... UN DE MES AMIS AVAIT DU CHAGRIN ET REFUSAIT DE
ME PERMETTRE DE LE PARTAGER, CELA ME FERAIT TRÈS MAL.
S'IL ME FERMAIT LES PORTES DE SON DEUIL, JE REVIENDRAIS
ENCORE ET ENCORE ET JE LE SUPPLIERAIS DE ME LAISSER
ENTRER AFIN QUE JE PUISSE PARTAGER
CE QUE J'AI LE DROIT DE PARTAGER.
S'IL M'ESTIMAIT INDIGNE, INCAPABLE DE PLEURER AVEC LUI,
ALORS JE RESSENTIRAIS CELA COMME LA PLUS GRANDE DISGRÂCE
QUE L'ON PUISSE M'INFLIGER.

Oscar Wilde (1854 - 1900)

*l'amitié,
comme l'amour
fraternel*

S'IL ME MANQUE L'AMOUR, JE NE SUIS RIEN.

L'AMOUR PREND PATIENCE, L'AMOUR REND SERVICE,
IL NE JALOUSE PAS, IL NE PLASTRONNE PAS,
IL NE S'ENFLE PAS D'ORGUEIL,
IL NE FAIT RIEN DE LAID,
IL NE CHERCHE PAS SON INTÉRÊT, IL NE S'IRRITE PAS,
IL N'ENTRETIENT PAS DE RANCUNE,
IL NE SE RÉJOUIT PAS DE L'INJUSTICE,
MAIS TROUVE SA JOIE DANS LA VÉRITÉ.

IL EXCUSE TOUT,
IL CROIT TOUT, IL ESPÈRE TOUT,
IL ENDURE TOUT.

L'AMOUR NE DISPARAÎT JAMAIS.

Lettre de Paul aux Corinthiens, XIII, 4-8

aveugle à toutes les fautes

VOULOIR DES AMIS SANS DÉFAUT,
C'EST NE VOULOIR AIMER PERSONNE.

De Sacy

UN AMI, C'EST UN HOMME QUI A PLUS DE CRÉDIT
QUE PERSONNE QUAND IL DIT DU MAL DE VOUS.

Jean Rostand (1868 - 1918)

LES AMIS NE SONT PAS NÉCESSAIREMENT
CEUX QUE NOUS PRÉFÉRONS;
CE SONT CEUX QUI ÉTAIENT LÀ LES PREMIERS.

Peter Ustinov

LA PREMIÈRE LOI DE L'AMITIÉ EST QU'ELLE DOIT
ÊTRE CULTIVÉE, LA SECONDE LOI EST D'ÊTRE INDULGENT
QUAND LA PREMIÈRE A ÉTÉ NÉGLIGÉE.

Voltaire (1694 - 1778)

VOUS POURREZ DEVENIR VIEILLES ET SANS FORMES,
COMME UN SAC, AVOIR L'AIR D'UNE DOUAIRIÈRE
AVEC DE PETITES LUNETTES ET UN DENTIER, MAIS
POUR VOTRE AMIE, VOUS SEREZ TOUJOURS CELLE QUE
VOUS ÉTIEZ LA DERNIÈRE ANNÉE DE VOS ÉTUDES.

Marion Garretty

AH, COMME ELLE EST BONNE À TENIR,
LA MAIN D'UN VIEIL AMI !

Henri Wadsworth Longfellow (1807 - 1882)

être
en relation

JE VEUX POUVOIR T'AIMER

SANS M'AGRIPPER

T'APPRÉCIER SANS TE JUGER

TE REJOINDRE SANS T'ENVAHIR

T'INVITER SANS INSISTANCE

TE LAISSER SANS CULPABILITÉ

TE CRITIQUER SANS TE BLÂMER

T'AIDER SANS TE DIMINUER.

SI TU PEUX M'ACCORDER

LA MÊME CHOSE

ALORS NOUS POURRONS

VRAIMENT NOUS RENCONTRER

ET NOUS AGRANDIR L'UN L'AUTRE.

Virginia Satir

respecter
ses amis

NOUS NE SOMMES PAS TRÈS
ENCHANTÉS QUAND NOS AMIS
QUI RESPECTENT NOS QUALITÉS
SE RISQUENT AUSSI À PERCEVOIR
NOS DÉFAUTS.

Vauvenargues (1715 - 1747)

UN AMI QUI N'EST
PAS DANS LE BESOIN
EST VRAIMENT AMI.

Kin Hubbard

SOUVIENS-TOI DE CE VIEIL ADAGE:
UN AMI DANS LE BESOIN EST
UN EMPOISONNEUR.

Peter Pook

C'EST N'ATTENDRE RIEN DE L'AUTRE ET SAVOIR
QUE L'ON RECEVRA TOUT. C'EST AVOIR ENVIE OU BESOIN
DE TOUT DONNER. C'EST POUVOIR TOUT SE PERMETTRE,
MALGRÉ LE RISQUE DE PRENDRE LE TEMPS, L'ÉNERGIE
DE L'AUTRE. C'EST SAVOIR QUE L'ON N'ESSUIERA AUCUN
REPROCHE, MAIS POUVOIR LES ACCEPTER TOUS.

Renaud, *interviewé par N. Mahieu*

IL N'Y A RIEN AU MONDE QUE JE NE VOUDRAIS FAIRE POUR
BOB HOPE, ET IL N'Y A RIEN QU'IL NE FERAIT POUR MOI…
NOUS PASSONS NOS VIES À NE RIEN FAIRE L'UN POUR L'AUTRE.

Bing Crosby (1904 - 1977)

COMME IL EST PLUS FACILE DE SE RÉJOUIR
DES FAIBLESSES DE NOS AMIS QUE DE SE RÉSIGNER
À ACCEPTER LEURS FORCES !

Princesse Bibesco (1897 - 1945)

AMI QUE JE NE CONNAIS PAS,
QU'ATTENDS-TU POUR VENIR VERS MOI ?

Maurice Carême (1899 - 1978)

DEUX ÊTRES PEUVENT VIVRE SOUS LE MÊME TOIT
PENDANT DES ANNÉES SANS JAMAIS SE CONNAÎTRE VRAIMENT;
DEUX AUTRES DEVIENNENT AMIS À LA PREMIÈRE
PAROLE ÉCHANGÉE.

Mary Catherwood (1847 - 1901)

CHAQUE AMI REPRÉSENTE TOUT UN MONDE
EN NOUS, UN MONDE QUI L'ATTEND POUR NAÎTRE,
ET C'EST SEULEMENT EN LE RENCONTRANT
QUE CE MONDE NOUVEAU NAÎT.

Anaïs Nin (1903 - 1977)

POUR CONSOLIDER UNE NOUVELLE AMITIÉ,
SURTOUT ENTRE ÉTRANGERS OU PERSONNES DE MILIEUX
SOCIAUX DIFFÉRENTS, UN FEU INTÉRIEUR DONT CHACUN
EST SECRÈTEMENT CHARGÉ DOIT PASSER DE L'UN À L'AUTRE
AU DELÀ DES ALÉAS DE LIEUX ET DE TEMPS.

George Santayana (1863 - 1952)

TOUT LE MONDE PEUT MONTRER
DE LA COMPASSION POUR UN AMI QUI SOUFFRE,
MAIS IL FAUT ÊTRE D'UNE NATURE EXCEPTIONNELLE
POUR SE RÉJOUIR DU SUCCÈS D'UN AMI.

Oscar Wilde (1856 - 1900)

SI NOUS AVIONS PAR MAGIE LE POUVOIR DE LIRE
DANS LES PENSÉES LES UNS DES AUTRES,
JE PENSE QUE LE PREMIER RÉSULTAT SERAIT
DE DISSOUDRE TOUTES LES AMITIÉS.

Bertrand Russel (1872 - 1970)

LES NŒUDS SACRÉS DE LA VRAIE AMITIÉ SE FORMENT
BIEN PLUS FACILEMENT SOUS UN HUMBLE TOIT ET
DANS LES CABANES DE BERGERS QUE DANS DES PALAIS
DES ROIS OU DES SOMPTUEUX ÉDIFICES.

Aristote (1474 - 1533)

DES FEMMES PEUVENT TRÈS BIEN LIER
AMITIÉ AVEC UN HOMME MAIS, POUR LA MAINTENIR,
IL FAUT PEUT-ÊTRE LE CONCOURS D'UNE PETITE
ANTIPATHIE PHYSIQUE.

Frederich Nietsche (1844 - 1900)

DE TOUTES LES PLAIES, OH DIEU, QUE VOTRE
COURROUX PEUT M'ENVOYER, ÉPARGNEZ-MOI,
OH, ÉPARGNEZ-MOI, CELLE D'UN AMI CANDIDE.

George Canning (1770 - 1827)

L'AMITIÉ NE SUPPORTERA PAS LONGTEMPS
UN TORRENT DE TRÈS BONS CONSEILS.

Robert Lynd

Il ne peut y avoir d'amitié sans liberté.
L'amitié aime l'air libre et ne se laissera
pas coincer dans des chemins droits
et étroits. Elle parle et agit librement
et ne cherche pas de mauvaises intentions
là où il n'y en a pas; quand c'est nécessaire,
elle pardonne facilement voire même oublie.

William Penn (1644 - 1718)

Combien d'entre nous peuvent réellement,
aujourd'hui se mettre à nu et dire à quelqu'un:
"Écoute, j'ai vraiment besoin de toi."
Nous pouvons dire: "Je t'aime", cinquante fois par
jour, mais ce n'est pas la même chose que de dire:
"Regarde, me voilà, en très mauvaise forme, malade,
angoissé. Dans ma faiblesse, j'ai besoin de toi."

Rod Steiger

un ami dans le besoin

Un véritable ami est celui qui entre
alors que tout le monde sort.

Walter Winchell (1879 - 1972)

BIEN SÛR IL Y A LES GUERRES D'IRLANDE
ET LES PEUPLADES SANS MUSIQUE
BIEN SÛR TOUT CE QUI MANQUE DE TENDRE
ET IL N'Y A PLUS D'AMÉRIQUE
BIEN SÛR L'ARGENT N'A PAS D'ODEUR
MAIS PAS D'ODEUR VOUS MONTE AU NEZ
BIEN SÛR ON MARCHE SUR LES FLEURS
MAIS VOIR UN AMI PLEURER

BIEN SÛR IL Y A NOS DÉFAITES
ET PUIS LA MORT QUI EST TOUT AU BOUT
LE CORPS INCLINE DÉJÀ LA TÊTE
ÉTONNÉ D'ÊTRE ENCORE DEBOUT
BIEN SÛR LES FEMMES INFIDÈLES
ET LES OISEAUX ASSASSINÉS
BIEN SÛR NOS CŒURS PERDENT LEURS AILES
MAIS VOIR UN AMI PLEURER

Jacques Brel (1929 - 1978)

LA PREUVE DE L'AMITIÉ EST L'AIDE
DANS L'ADVERSITÉ. UNE AIDE INCONDITIONNELLE.

Mahatma Gandhi (1869 - 1948)

L'AMOUR EST AVEUGLE,
L'AMITIÉ FERME LES YEUX.

Proverbe

LE VRAI DEVOIR D'UN AMI EST DE PRENDRE
TON PARTI QUAND TU ES DANS L'ERREUR.
N'IMPORTE QUI PRENDRA TON PARTI QUAND
TU AS RAISON.

Mark Twain (1835 - 1910)

HENRI IV, ROI DE FRANCE, REPROCHA UN JOUR
AU COMTE D'AUBIGNÉ DE TOUJOURS SE CONSIDÉRER COMME
L'AMI DE MONSIEUR DE LA TRÉMOILLE, ALORS QUE CELUI-CI
AVAIT ÉTÉ DISGRACIÉ ET BANNI DE LA COUR.
"SIRE, RÉPONDIT D'AUBIGNÉ, MONSIEUR DE LA TRÉMOILLE
A SUFFISAMMENT D'INFORTUNE PUISQU'IL A PERDU LA FAVEUR
DE SON MAÎTRE, JE NE PUIS PAS L'ABANDONNER ALORS QUE
C'EST MAINTENANT QU'IL A LE PLUS BESOIN DE MON AMITIÉ."

Anecdote de Percy

trouver un ami

Christophe saisit la main d'Otto et demanda,
d'une voix qui tremblait:
"Est-ce que vous voulez être mon ami?"
Otto murmura: "Oui."
Ils se serrèrent la main; leur cœur palpitait.
Ils osaient à peine se regarder.
Après un moment, ils se remirent en marche.
Ils étaient à quelques pas l'un de l'autre, et ils ne
dirent plus rien jusqu'à la lisière du bois. (...)

Près d'arriver,
ils convinrent de se retrouver le dimanche suivant.
Christophe reconduisit Otto jusqu'à sa porte.
À la lueur du bec de gaz, ils se sourirent timidement,
et se balbutièrent un "au revoir" ému.
Christophe revient seul dans la nuit.
Son cœur chantait: "J'ai un ami, j'ai un ami !"
Il ne voyait rien, il n'entendait rien.
Il ne pensait à rien d'autre.

Romain Rolland (1866 - 1944)

LES AMIS NE VIVENT PAS TELLEMENT EN HARMONIE,
COMME IL EST DIT, MAIS PLUTÔT EN SYMPHONIE.

Henri David Thoreau (1817 - 1862)

SI ON NE PEUT PLUS TRICHER AVEC SES AMIS,
CE N'EST PLUS LA PEINE DE JOUER AUX CARTES.

Marcel Pagnol (1895 - 1974)

LE PROPRE DE L'AMITIÉ C'EST DE JAMAIS TRAVERSER
DE CRISES. TOUT SE PASSE DANS UNE TRANQUILLITÉ
CHALEUREUSE, UNE ABSENCE INGÉNUE DE JALOUSIE,
UN ESPRIT DE DÉVOUEMENT NATUREL ET SPONTANÉ.

Jean Dutourd

LES MEILLEURS MOMENTS D'UNE VISITE
SONT CEUX OÙ MALGRÉ L'HEURE QUI EST LÀ,
ON POSTPOSE SANS CESSE LE DÉPART.

Jean-Paul Richter (1763 - 1825)

Nous étions toute une bande d'amis.
Que de rires et de blagues lors de nos folles sorties,
que d'émotions et de paix devant le soleil que nous
allions cueillir en hiver à son lever sur la mer !
Cette douce connivence muette me réchauffe le cœur
encore aujourd'hui.

Bernadette Mols

Soyez l'un à l'autre un monde toujours beau,
toujours divers, toujours nouveau;
tenez-vous lieu de tout, comptez pour rien le reste.

Jean de la Fontaine (1621 - 1695)

L'amitié n'est pas indispensable, pas plus que la
philosophie ou l'art... Elle n'a aucune valeur de survie;
elle est plutôt ce qui donne de la valeur à la survie.

C.S. Lewis (1898 - 1963)

...tous parlent de la nécessité de l'estime l'un pour
l'autre, voire même d'admiration, pour pouvoir voguer
à part entière dans le bateau que l'on appelait
"les copains d'abord".

Nicole Mahieu

Les livres-cadeaux **HELEN EXLEY** touchent aux valeurs humaines et aux relations les plus essentielles de la vie : l'amour dans les couples, les liens familiaux, les liens amicaux, le bonheur. Parce qu'ils sont destinés à être offerts tout est mis en œuvre pour qu'ils soient les plus beaux, les plus charmants possible. Les textes comme les illustrations sont choisis avec un soin extrême de façon à ce qu'on ait autant de bonheur à les offrir qu'à les recevoir.

N'hésitez pas à nous contacter si vous souhaitez recevoir la liste complète de nos beaux-petits-livres (près de 300 titres en 23 collections) ou nous faire part de vos réactions.

Remerciements à © Editions Famille Brel, Jacques Brel, *Voir un ami pleurer*; © Albin Michel; Romain Rolland, *Jean-Christophe le Matin*; Kahlil Gibran © Gallimard; couverture: Renoir, *Le moulin de la galette*; © Armand Jean Edmond; *Deux dames sur une chaise longue* : 30; Archiv für Kunst; Christ Beetles Ltd; Bonhams, Londres; Bradford city Art Gallery; Bridgeman Art Library; Fine Art society, Londres; © Lawson Gilliam, *Dansant sur l'eau*: 40/41; Heritage Image Partnership Joseph Mensing Gallery; David Messurm Beaux-Arts; Musée d'Orsay, Paris; musée Fabre, Montpellier; Royal collection Londres; Scala; ©Sharp, *Dorothea, trois enfants au bain* : 10; Taylor Gallery London; Christopher Wood Gallery, Londres.

Imprimé en Chine - ISBN : 2-87388-322-7 - Dépôt Légal : D/7003/2004/05

1   3   5   7   9   11   12   10   8   6   4   2